Unterwegs mit den Ponys

Eine Geschichte von Petra Wiese
mit Bildern von Anne Ebert

CARLSEN

Heute ist ein wunderschöner Sommertag. Auf der Koppel stehen drei Pferde: das gescheckte Shetlandpony Bini, das Welsh Pony Kara und die Hannoveraner Stute Mascha. Kara und Bini sind dicke Freunde. Sie beknabbern sich gegenseitig. Das machen sie nicht nur, weil sie sich so gerne mögen, sondern auch, weil sie sich so putzen. Maschas Fell glänzt rotbraun in der Sonne. In der warmen Sonne döst sie ein bisschen vor sich hin. Sie hält ihren Kopf gesenkt, der Hals ist leicht vorgestreckt. Ihre Ohren hängen locker zur Seite und ihre Augen sind fast geschlossen.

Mascha streckt ihren Hals aus und hebt den Kopf. Die Ohren haben sich aufgestellt. Sie horcht und schaut interessiert in Richtung Feldweg. An der Koppel hält ein Auto. Zwei Mädchen steigen aus. Mascha erkennt Annika und ihre kleine Schwester Lena. Die beiden kommen fast jeden Tag auf die Koppel. Letzten Samstag hat Lena ihr Kleines Hufeisen gemacht und heute hat sie ihren ersten Waldritt vor sich. Die Pferde schnauben, denn sie freuen sich über den Besuch. Zur Begrüßung bekommen sie erst einmal Möhren und Äpfel.

Mama krault Mascha die Mähne. „Du musst heute leider auf der Koppel bleiben, Mascha."
Zum Trost bekommt die Stute noch einen extradicken Apfel.
Annika streift inzwischen Kara das Halfter über und hilft Lena mit Bini. Bini möchte lieber spielen. Immer wieder schüttelt sie ihren dicken Ponykopf, sodass die Mädchen gemeinsam das Halfter anlegen müssen.
„Brav, Bini!", sagt Lena, als sie ihr Pony endlich an den Holzpfosten angeleint hat.

Annika schaut sich suchend um: „Wo ist denn Karas Putzkiste?"
„Die steht hinter dir!", ruft Mama lachend.
„Gut, dass wenigstens die Pferde große und gute Augen haben", kichert Lena.
„Bis später, ihr beiden. Um sechs hole ich euch ab. Viel Spaß!"
Winkend setzt sich Mama ins Auto und fährt langsam den Feldweg zurück.

Vor dem Ausritt müssen die Pferde gründlich geputzt werden. Besonders dort, wo der Sattel aufs Fell gelegt wird, darf kein Krümelchen Schmutz sein: Die Druckstellen würden den Pferden sehr wehtun.

Aus Versehen kippt Annika mit dem Fuß die Putzkiste um: Striegel, Kardätsche, Schwamm und Hufkratzer fallen heraus. Bini wiehert.

„Du musst gar nicht lachen", grinst Annika und bückt sich um den Striegel aufzuheben. Zuerst striegeln Annika und Lena die Ponys. Danach bürsten sie mit der Kardätsche sorgfältig das Fell. Zum Schluss wird noch die Mähne gekämmt. Offensichtlich genießen die Pferde das, denn selbst Bini steht auf einmal ganz still.

Lena holt die Wasserflasche und benetzt zwei kleine Schwämme. Mit ihnen wischen die Mädchen vorsichtig den Staub aus den Augen- und Nüsternwinkeln der Ponys.

„So, jetzt noch die Hufe", sagt Annika und holt zwei Hufkratzer. Obwohl Bini ein sehr freundliches Pony ist, steht Lena während der Hufreinigung neben ihm und nicht hinter ihm, denn Bini könnte erschrecken und ausschlagen.

„Fertig!", ruft Lena und klopft Bini auf den dicken Ponypopo.

„Puh, ist der wieder schwer", sagt Lena und zerrt Karas Sattel herbei, den Mama vorhin über den Zaun gehängt hat. Annika legt die Satteldecke glatt und ordentlich über Karas Widerrist. Sie schiebt die Steigbügel hoch und schlägt den Gurt über die Sitzfläche. Dann legt sie den Sattel auf Karas Rücken. Vorsichtig lässt sie nun den Gurt heruntergleiten. Sie fasst unter Karas Bauch nach der Gürtelschnalle und befestigt sie am Sattel. Dabei achtet sie darauf, dass zwischen Gurt und Bauch zwei Finger passen.

„Jetzt ist Bini an der Reihe", sagt Annika und reicht Lena die Satteldecke. Auch Lena streicht die Satteldecke schön glatt. Mit dem Sattel muss Annika ihr dann doch helfen.

„Das Auftrensen schaffe ich aber alleine", sagt Lena. Sie streift Bini geschickt das Stallhalfter ab und hebt das Zaumzeug über die Nüstern. Als das Mundstück Binis Maul berührt, schiebt Lena den linken Daumen in ihre Maulspalte und lässt das Gebiss vorsichtig in ihr Maul gleiten. Dann hebt sie das Kopfstück über die Ohren. „Du bist eine ganz Brave", flüstert Lena Bini ins Ohr. Bini guckt sie mit großen Augen an und beschnuppert sie zufrieden. Lena verschließt noch Nasen- und Kehlriemen und prüft, ob beides nicht zu fest sitzt. „Alles wunderbar", sagt sie zufrieden.
Die Mädchen setzen ihre Reitkappen auf und sitzen auf. Bevor sie in Richtung Wald reiten, drehen sie sich noch einmal um.
„Tschüs, Mascha! Bis später!", ruft Lena. Mascha wiehert.

Lena reitet für ihr Leben gern. Sie sitzt gerade im Sattel und schaut zwischen Binis Ohren hindurch. Sobald Lena auf einem Ponyrücken sitzt, kitzelt es in ihrem Bauch vor Vergnügen. Mittlerweile hat sie auch ein gutes Gefühl für das Reiten und weiß, wie sie mit Hilfe ihrer Beine und der Zügel das Pony lenken kann. Sie legt die Schenkel an Binis Bauch und übt ein bisschen Druck aus. Die Zügel lässt sie etwas nach – und schon setzt sich Bini in Bewegung.

Annika reitet mit Kara im Schritt voran. Die Mädchen lassen ungefähr eine Pferdelänge Abstand zwischen den beiden Ponys. „Wir reiten erst ein Stück am Waldrand entlang, beim Hochsitz biegen wir dann in den Wald ein", sagt Annika.
Lena freut sich, denn das bedeutet, dass sie mit Bini den kleinen Bach überqueren darf.

Ein Stückchen weiter zieht Annika die Zügel an und Kara beginnt zu traben. Sofort folgt Bini ihrer Freundin im Trab. Bald sieht Lena die kleine Bohlenbrücke, die über den Bach führt. Annika reitet mit Kara zuerst darüber.
Klock! Klock! Klock! Klock! Die Hufe hallen über die Holzbohlen. Aber Kara erschrickt überhaupt nicht. Seelenruhig überquert sie die Brücke.

Bini ist noch nie hier gewesen. Lena ist deshalb etwas nervös. Das Pony spürt das wohl, denn es tänzelt ein bisschen und steigt dann sogar.
„Bini, das schaffen wir auch ganz locker", sagt Lena beruhigend. Sie hält die Zügel ganz ruhig, ohne daran zu zerren. Bini zögert etwas, aber dann geht sie ohne Schwierigkeiten über die Brücke. Sie sieht nur ein bisschen erstaunt aus, dass ihre Hufe so einen Krach machen.

An einer Eibe bleibt Kara plötzlich stehen und will daran knabbern. Sanft bewegt Annika ihr Pony wieder auf den Feldweg. Die Mädchen passen auf, dass die Pferde während des Ausreitens nichts fressen: Die Ponys können die giftigen Gewächse nicht von den ungiftigen unterscheiden.
Etwas später reiten Annika und Lena auf dem Weg durch die Felder zurück zur Weide. „Wie wär's mit einem kleinen Galoppritt?", ruft Annika. Schon nimmt sie den Zügel an. Lena nickt. Galopp ist viel bequemer als Trab. Bini läuft schneller, aber ruhiger im Galopp. Die dicke Ponymähne schwingt auf und ab. Der warme Wind weht in Lenas Gesicht. Es fühlt sich herrlich an, so geradeaus zu galoppieren.

„So ein Ausritt ist immer viel zu schnell vorbei", seufzt Lena, als die Mädchen wieder bei der Koppel ankommen. Mascha steht bereits am Zaun und wiehert zur Begrüßung.

Nach dem Absatteln werden die Ponys erneut gründlich geputzt. Bini knabbert vorsichtig an Lena herum. Sie mag sie offenbar genauso gerne wie ihre Freundin Kara.

Nach dem Putzen und einer ausgiebigen Fellmassage traben die Pferde sofort zur Tränke. „Ich hab auch Durst", sagte Lena und holt die Wasserflasche. „Gut, dass ich keine siebzig Liter am Tag trinken muss!"

Bini und Kara rupfen gemächlich das Gras. So ein Ausritt macht auch Pferde hungrig. Wenn die Ponys länger geritten werden, bekommen sie von Annika und Lena noch eine Extraportion Hafer.

„Da ist Mama ja schon wieder! Ist es denn schon so spät?", fragt Lena.
Annika räumt mit Mama den Putzkasten und die Sättel ins Auto. Anschließend verabschieden sich die Mädchen von den Pferden. Bini, Kara und Mascha werden ausgiebig gestreichelt und bekommen noch ein Leckerli.
„Tschüs", flüstert Lena ihrem Pferd ins Ohr und reibt ihm den Hals. „Bis übermorgen!" Sie gibt Bini die Rote Beete, die Mama mitgebracht hat. Die mag das Pony besonders gerne. Zufrieden kauend schaut es Lena hinterher. Die winkt noch einmal und steigt dann ins Auto.

Die Pferde stecken die Köpfe zusammen, als ob sie sich erzählen wollten, was an diesem Nachmittag passiert ist.